Drôle de zoo

texte de   ue
illustration   nan

Mari   aymond Favre

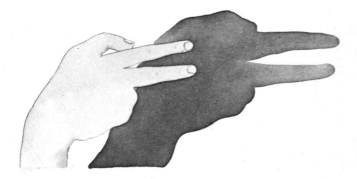

Gallimard

Stéphane Bertola voulait aller au zoo. Il avait un grand livre d'images avec plein d'animaux.

Collection folio benjamin

Pour Mary Emmons
et tous ses amis

ISBN 2-07-039002-0
Titre original: Private Zoo
Publié par Williams Collins Sons & Co
© Georgess McHargue, 1975, pour le texte
© Michael Foreman, 1975, pour les illustrations
© Éditions Gallimard, 1980, pour la présente édition
1er Dépôt légal: 1er trimestre 1980
Dépôt légal: Maj 1984
Numéro d'édition: 33380
Imprimé par La Editoriale Libraria en Italie

Quelquefois, il voyait
des animaux à la télévision.

Mais Stéphane voulait les voir
pour de vrai.

Stéphane avait une grande
famille et beaucoup d'amis.
Vous pourriez croire que

"Il fait trop chaud."

"Il fait trop froid."

l'un d'eux aurait été content
de l'emmener au zoo.
Pas du tout ! Ils disaient :

"C'est trop loin."

"Tu es trop petit."

"J'ai mal aux pieds."
(Ça, c'était l'oncle Oscar.)

Stéphane regarda son oncle
Oscar. Il était tout rond,
tout lisse et tout souriant,
avec de petits yeux pétillants.
''Ça alors !'' se dit Stéphane.
Stéphane était bien déçu.

Il avait tellement envie
d'aller au zoo…
Il voulait surtout voir
l'hippopotame, tout rond,
tout lisse et tout souriant,
avec de petits yeux pétillants.

Stéphane entra
dans la salle de séjour.
Il y avait son frère et sa sœur
qui construisaient une fusée
modèle réduit.

Ils étaient très forts
pour assembler les pièces,
mais beaucoup moins forts
pour ranger après.
''Mon Dieu !'' pensa Stéphane.

Dans la cuisine,
ce grand échalas
de tante Lucie
chantait tout en lavant
des carottes.

La mère de Stéphane
goûtait soigneusement
des spaghetti.
Stéphane sourit.
''Je vais me promener'', dit-il.

Corinne et Catherine Leterrier
jouaient à la marelle avec Marie,
la sœur de Stéphane.
Hop, hop, hop !

elles sautaient à pieds joints.
''Tu veux jouer ?
demanda Catherine.
- Non merci, répondit Stéphane.
Je regarde seulement.''

Le vieux M. Hulotte avait posé
ses mains osseuses
sur le rebord d'une fenêtre,
en haut de la maison voisine.
Il se penchait pour regarder
le monde autour de lui.
Stéphane voyait briller
ses grosses lunettes rondes.

''Ne tombe pas de l'arbre'',

pensa-t-il tranquillement.

On construisait un supermarché
après le pâté de maisons.
Stéphane se mit
sur la pointe des pieds

et glissa un coup d'œil
par un trou de la clôture.
Il pensa que c'était même
mieux que le zoo.

Devant son étalage de légumes,
au coin de la rue,
M. Trompe chassait
les mouches des fruits,
en se traînant dans son pantalon
trop large.

Stéphane aurait aimé avoir
des cacahuètes
pour les lui donner.

Quand Stéphane croisa
Ed et Fred Martin
devant la charcuterie,
ils commençaient à se battre.
Ils luttèrent et roulèrent
sur le trottoir.
M. Martin sortit
et leur dit d'arrêter.

''Regardez donc Stéphane, dit-il,
il ne se bat jamais.
Pourquoi ne faites-vous pas
comme lui, les enfants ? ''
Ed et Fred tirèrent la langue
à Stéphane.

Stéphane aperçut son cousin,
le grand Charles,
qui venait vers lui.
Il lui dit bonjour,
mais Charles ne le vit même pas.

ECOLE CURÉ LEQUIN
653, PRÉFONTAINE,
LONGUEUIL, P. QUE.
J4K, 3V8

Stéphane entra à la confiserie
et acheta des bonbons
à Mme Dromadu
qui ne souriait jamais.

Le père de Stéphane disait
toujours que c'était
parce qu'elle souffrait
d'indigestion.

Stéphane se dit
qu'il avait assez marché.
En revenant,
il vit le frère de Léonie Fauve
qui descendait la rue en trombe
sur sa moto.

Stéphane aurait bien aimé
que ses patins à roulettes
rugissent de la sorte.

Puis vint Ginette Lefouin
qui courait vers le parc
dans sa robe rayée.

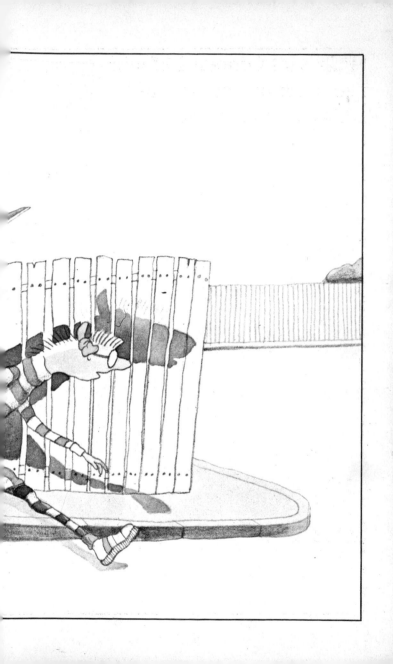

Stéphane vit qu'Arthur Taupin

nettoyait sa cave une
fois de plus.

Stéphane était si captivé
qu'il faillit être renversé
par quatre grands garçons

qu'il ne connaissait pas.
Ils jouaient au rugby.

Stéphane était content
de rentrer chez lui.

Quel bon après-midi !

Dans l'escalier, il rencontra
la voisine, Mme Pichette.
"Stéphane, dit-elle,
j'emmène Bernard et Michel
au zoo demain. Veux-tu venir ?"
Stéphane lui sourit gentiment.
"Non merci, madame, dit-il.
J'en viens."

BIOGRAPHIES

Georgess McHargue vit aux États-Unis. New York, la grande métropole où toutes les formes, toutes les couleurs, toutes les races se mêlent, lui a inspiré cette histoire.

Avant d'écrire pour les enfants, elle travaillait dans une maison d'édition de livres pour enfants. Elle reçut la distinction nationale du livre en 1973.

Michael Foreman, cet Anglais connu dans le monde entier pour ses illustrations de livres destinés aux enfants, a été honoré maintes et maintes fois. Il a reçu , en 1972, une médaille à la Foire internationale du livre de Nice. *Drôle de zoo* fut considéré par la Ligue internationale du livre comme un des cinquante meilleurs livres du monde. Grand voyageur, il a parcouru la Sibérie, la Chine, le Japon, l'Amérique. Il vit actuellement à Londres. Il est également l'auteur de dessins animés.

LE THÉÂTRE ET LES OMBRES

Depuis fort longtemps les ombres sont montées sur la scène. Elles sont même devenues des personnages du théâtre qui n'ont nul besoin pour exister d'être soutenus par des acteurs en chair et en os. En Orient, est née la tradition d'un théâtre joué exclusivement par l'ombre de figures de cuir projetée sur un écran. Elles miment une histoire que raconte un récitant également musicien, qui ponctue le récit par des coups de gong réguliers.

L'ombromanie - c'est-à-dire l'art de faire des ombres avec ses mains - est une autre source de divertissement. Voici quelques modèles qui vous permettront d'animer un récit.

Examinez attentivement les exemples suivants et placez vos mains entre un écran (mur clair ou drap) et une source de lumière (projecteur, lampe ou bougie).

Collection
folio benjamin